Ingo Siegner

Der kleine Drache Kokosnuss und der geheimnisvolle Tempel

Ingo Siegner

Der kleine Drache Kokosnuss
und der geheimnisvolle Tempel

Der Verlag weist ausdrücklich darauf hin, dass im Text enthaltene externe Links vom Verlag nur bis zum Zeitpunkt der Buchveröffentlichung eingesehen werden konnten. Auf spätere Veränderungen hat der Verlag keinerlei Einfluss. Eine Haftung des Verlags ist daher ausgeschlossen.

Dieses Buch ist auch als E-Book erhältlich.

Verlagsgruppe Random House FSC® N001967

7. Auflage

Umschlagbild und Innenillustrationen: Ingo Siegner
Lektorat: Hjördis Fremgen
Umschlagkonzeption: basic-book-design, Karl Müller-Bussdorf
hf · Herstellung: hag
Satz und Reproduktion: Lorenz & Zeller, Inning a. A.
Druck: Grafisches Centrum Cuno GmbH & Co. KG
ISBN 978-3-570-15829-6
Printed in Germany

www.cbj-verlag.de
www.drache-kokosnuss.de

Inhalt

Trödel-Knödel ist aufgeregt

An einem Sonntagvormittag sitzen der kleine Feuerdrache Kokosnuss, das Stachelschwein Matilda und der Fressdrachenjunge Oskar an der Steinbrücke über den Fluss Mo, dort, wo der Mo in die Drachenbucht fließt.
»Heute muss ich mit meinem Papa Bohnen pflücken gehen«, brummt Kokosnuss. »Dazu habe ich überhaupt keine Lust.«
»Ich liebe Bohnen«, sagt Oskar.
»Hätte mich auch gewundert, wenn nicht«, sagt Matilda.
In diesem Moment kommt ein großer, grüner Rüsseldrache um die Ecke gerannt. Sein Bauch hüpft auf und ab und sein Rüssel schwingt hin und her. Noch ehe Kokosnuss, Oskar und Matilda grüßen können, ist er auch schon über die Brücke gezischt und auf der anderen Seite wieder verschwunden.
»War das nicht Trödel-Knödel?«, fragt Matilda.

Oskar staunt. »So schnell habe ich den ja noch nie rennen sehen.«
»Ich wusste gar nicht«, sagt Kokosnuss, »dass Knödel überhaupt rennen kann. Normalerweise liegt der doch den ganzen Tag in der Sonne.«
»Wenn er es so eilig hat«, sagt Matilda, »warum fliegt er dann nicht?«
»Fliegen ist ihm bestimmt zu anstrengend«, sagt Kokosnuss.
Die Freunde blicken wieder auf den langsam dahinfließenden Fluss. Da ertönt eine Glocke. Kokosnuss stutzt.
»Die Ratsglocke!«, sagt er. »Kornelius Kaktus ruft den Rat der Drachen zusammen. Seltsam, eigentlich treffen die sich doch nur freitags.«
»Ist doch logisch«, sagt Matilda. »Trödel-Knödel hat eine wichtige Nachricht für den Drachenrat. Deshalb ist er so gerannt.«
Kaum hat Matilda die Worte ausgesprochen, stürmt Kokosnuss davon. Er muss unbedingt wissen, was Knödel dem Drachenrat mitteilen will!

»Kokosnuss!«, rufen Matilda und Oskar. »Warte auf uns!«

In der Nähe der Schulhöhle verstecken sich die drei hinter einem Busch. Zwischen den Zweigen hindurch erkennen sie Trödel-Knödel und den Lehrer Kornelius Kaktus.
»Sie warten auf die Mitglieder des Drachenrates«, flüstert Kokosnuss.
Heimlich steigen die drei durch das Fenster in den Klassenraum und klettern in den Schrank.
»Von hier aus können wir alles gut hören«, flüstert Kokosnuss. »Und wir können sogar durchs Schlüsselloch gucken.«

Bald betreten Kornelius, Trödel-Knödel und die Mitglieder des Rates den Klassenraum: die Fluglehrerin Proselinde, der Medizindrache Markus Medikus, Oma Aurelia und Opa Jörgen.
Kornelius begrüßt die Runde: »Liebe Mitglieder des Drachenrates! Unser geschätzter Freund Trödel-Knödel hat eine wichtige Nachricht für uns. Knödel, du hast das Wort!«

Trödel-Knödel holt tief Luft und beginnt: »Also, Leute, es ist so … gestern habe ich dieses ururur-ururalte Schriftstück gefunden.« Der Rüssel-drache schwingt ein Papyrus-Blatt in der Luft. »Es sind ausgestorbene Schriftzeichen eines ausgestorbenen Volkes, aber ich habe den Text entziffert. Ihr wisst ja, ich kenne mich mit alten Schriften aus ...«

»Und was ist nun damit?«, fragt Oma Aurelia ungeduldig. »Heute ist Sonntag, Ruhetag, meine Sonnenliege wartet.«
»Es ist wichtig!«, sagt Trödel-Knödel eindringlich. »Da steht nämlich drauf, dass am nächsten Freitag die Welt untergeht.«
Im Klassenraum ist es plötzlich still. Die Drachen blicken einander an. Kokosnuss, Matilda und Oskar halten in ihrem Schrankversteck den Atem an. Haben sie richtig gehört?
»Das ist doch Blödsinn«, flüstert Matilda.
»Die Welt«, sagt Oskar, »kann überhaupt nicht untergehen. Die kann höchstens explodieren oder so.« 
»Hm, ein alter Papyrus …«, murmelt Kokosnuss nachdenklich.
Da hören sie Opa Jörgen: »Wie jetzt, die Welt geht unter …? Die ganze?«
»Ja«, sagt Knödel.
»Die ganze Welt plus die Dracheninsel?«, fragt Markus Medikus.

»Natürlich plus
die Drachen-
insel«, sagt
Proselinde.
»Die gehört
doch zur Welt.«
Die Drachen
schütteln die Köpfe.
»Bist du sicher?«,
fragt Kornelius.

»Hundertpro, steht doch hier!«
Die Drachen blicken ratlos in die Runde.
»Am Freitag?«, fragt Opa Jörgen.
»Genau«, antwortet Knödel.
»Das finde ich ziemlich kurzfristig«, sagt Opa
Jörgen. »Da kann man ja gar nicht viel machen!«
»Was willst du denn machen?«, fragt Oma
Aurelia.
»Jö, öh«, murmelt Opa Jörgen, »wir könnten
ein großes Floß bauen für alle Bewohner der
Dracheninsel. So eine Art Arche.«
»Und dann?«, fragt Proselinde.

»Dann, öh, fahren wir über das Meer und der Weltuntergang schaut dumm aus der Wäsche.«
»Bei einem Weltuntergang«, sagt Kornelius, »geht das Meer aber auch unter.«
»Hm, stimmt«, brummt Opa Jörgen.
»Nun«, sagt Kornelius. »Wir sollten diese Nachricht erst einmal für uns behalten. Sonst könnte es zu einer Panik kommen.«
»Allerdings«, flüstert Matilda in ihrem Versteck.
»Wenn das mit dem Weltuntergang stimmt«, flüstert Oskar, »dann sind wir aber ganz schön in den Po gekniffen.«
»Was sind wir?«, fragt Matilda.
»In den Po gekniffen – das sagen wir Fressdrachen so, wenn man ein richtiges Problem an der Backe hat.«
»Aber vielleicht«, sagt Kokosnuss, »haben sich die Leute, die das auf den Papyrus geschrieben haben, ja auch geirrt.«
Da hören sie, wie Kornelius Kaktus verkündet:
»Am besten, wir machen einen Plan!«
Der große Stacheldrache geht zur Tafel.

»An der Tafel liegt keine Kreide mehr«, sagt Proselinde. »Guck mal im Schrank. Da müsste noch welche liegen.«
»Oh nein!«, flüstert Matilda. »Jetzt entdecken die uns!«

Der kleine Drache Orakelchen

Kornelius öffnet die Schranktür und stutzt.
Opa Jörgen ruft erstaunt: »Kokosnuss!«
»Was macht ihr denn da drin?«, fragt Kornelius streng.
»Ehm, ich, äh«, stottert Kokosnuss, »ich habe meinen Turnbeutel vergessen und dachte, der liegt vielleicht hier im Schrank.«
»Und dann seid ihr alle drei in den Schrank geklettert?«
»Ja«, sagt Oskar. »Wir wollten beim Suchen helfen. Und dann ist die Tür plötzlich zugefallen.«
»Und dann«, sagt Matilda, »sind wir nicht mehr herausgekommen.«
»Ihr hättet ja klopfen können«, bemerkt Proselinde spöttisch.
»Ha! Stimmt!«, ruft Oskar und klatscht sich an die Stirn. »Das hätte uns auch einfallen können!«
»Kommt mal da raus, ihr drei!«, brummt Kornelius.

Als die Freunde aus dem Schrank gestiegen sind, fragt der Lehrer: »Habt ihr etwa gehört, was wir gerade besprochen haben?«
Kokosnuss schluckt und antwortet: »Ja, die Welt geht am Freitag unter, und ihr habt keinen Plan.«
Empörtes Gemurmel erhebt sich, bis Kornelius seufzt und sagt: »Leider hast du recht, Kokosnuss. Wir wissen gerade nicht weiter.«
»Und wenn«, sagt Kokosnuss, »gar nicht stimmt, was auf dem Papyrus steht?«
Knödel kneift die Augen zusammen und grummelt: »Aber es ist ein echter, uralter Papyrus!«
»Mit Schriftzeichen darauf«, sagt Kornelius.
»Das heißt noch lange nicht, dass dort die Wahrheit steht«, sagt Matilda.
Jetzt meldet sich auch Oskar: »Woher sollen denn diese uralten Leute wissen, dass am Freitag die Welt untergeht?«
Die Drachen wiegen die Köpfe hin und her und überlegen.
»Wir sollten eine zweite Meinung einholen«, sagt Kokosnuss. »Bei Orakelchen.«

»Bei Orakelchen?«, rufen die Drachen.
»Er kann die Schriftzeichen bestimmt auch lesen«, sagt Kokosnuss.
Trödel-Knödel verschränkt die Arme vor der Brust und sagt beleidigt: »Pfff, wenn ihr eine zweite Meinung braucht – meinetwegen!«
»Gute Idee«, sagt Kornelius. »Wir fragen Orakelchen!«

Orakelchen wohnt weit oben in einer Höhle über der Drachenbucht. Er ist ein sehr gelehrter Drache, so gelehrt, gelehrter geht's nicht. Er hat unzählige Bücher gelesen, spricht mindestens ein Dutzend Sprachen, kann die schwierigsten mathematischen Formeln lösen und kennt sich mit den Sternen besser aus als jeder andere Bewohner der Dracheninsel.

Als die Mitglieder des Drachenrates mit Kokosnuss, Oskar und Matilda vor Orakelchens Höhle eintreffen, sehen sie auf dem Tisch am Eingang viele Papierbögen liegen, die mit Zahlen und Formeln beschrieben sind. Daneben steht ein großes Teleskop, mit dem man die Sterne beobachten kann. Kornelius betätigt die Glocke.

Kurz darauf blickt Orakelchen aus der Höhle und sagt: »Huch! Was macht ihr denn alle hier?«

Neugierig betrachten Matilda und Oskar den Flugdrachen. Er ist nicht groß, kleiner noch als Kokosnuss, und trägt einen blauen Mantel und einen spitzen Hut.

Kornelius zeigt den Papyrus, räuspert sich und sagt: »Also, wir wollten dich fragen, ob du diese Schriftzeichen lesen kannst.«
Orakelchen setzt seine Brille auf und studiert den Papyrus. Nach kurzer Zeit blickt er auf, schüttelt erstaunt den Kopf und sagt: »Hier steht, dass am Freitag die Welt untergeht.«
Trödel-Knödel klatscht freudig in die Hände und ruft: »Seht ihr, hab ich doch gesagt! Am Freitag geht die Welt unter, jippi jippi jödeldidö!«

»So gut ist die Nachricht nun auch wieder nicht«, brummt Proselinde.
Da hält Knödel inne, sinkt zu Boden, schluchzt verzweifelt und murmelt: »Stimmt, am Freitag geht die Welt unter.« 
Nachdenklich betrachtet Orakelchen das alte Schriftstück.
»Hm, auch nach meinen eigenen Berechnungen wird am Freitag etwas Ungewöhnliches geschehen. Hoffentlich ist es nicht wirklich der Weltuntergang.«
Knödel reißt die Arme hoch und jammert: »Seht ihr! Sogar Orakelchen sagt, dass die Welt untergeht!«
»Vielleicht gibt es nur einen Sturm«, sagt Kokosnuss.
»Oder einen Super-Orkan mit Erdbeben und allem!«, sagt Oskar.

Orakelchen zuckt mit den Schultern und sagt:
»Um das herauszufinden, müssten wir in den Kalender der Maya schauen.«
Die Mitglieder des Drachenrates blicken Orakelchen erschrocken an.
»Was habt ihr denn?«, fragt Kokosnuss.
Da meldet sich Oskar: »Maya? Ist das nicht ein Bienenvolk?«
»Oskar!«, sagt Matilda. »Die Maya sind doch kein Bienenvolk! Die leben in Mittelamerika und haben vor Hunderten von Jahren Städte und Tempel gebaut.«
»Und sie waren Meister der Sternenkunde«, sagt Orakelchen. »Die Maya waren berühmt für ihre Kalender. Einer dieser Kalender befindet sich auf der Dracheninsel.«

»Prima!«, sagt Kokosnuss. »Wo ist der denn?«
Die großen Drachen werfen einander ängstliche Blicke zu.
»Der Maya-Kalender«, sagt Orakelchen, »liegt im Verbotenen Tempel.«
Vom Verbotenen Tempel hat Kokosnuss schon einmal gehört. Er liegt oben in den Himmelskratzern der Dracheninsel verborgen. Es heißt, dort wohne der furchtbare Donnergott.
»Äh, eigentlich«, sagt Kornelius, »sollte jemand von uns dort hinfliegen. Jemand, der den Kalender der Maya lesen kann.«
Alle Augen richten sich auf Trödel-Knödel.
»W-was guckt ihr so?«, stottert Knödel.
»Du kannst noch gut fliegen«, sagt Opa Jörgen und zeigt auf seine altersschwachen Flügel.
»Und du kannst fremde Schriften lesen«, sagt Kornelius.
Knödel schluckt.
Da meldet sich Orakelchen: »Knödel ist aber zu groß für den Eingang des Tempels. Er passt nicht hindurch.«

»Ha!«, ruft Knödel. »Ich wäre gerne zum Verbotenen Tempel geflogen, keine Frage, aber wenn ich nun mal nicht durch die Tür passe, da kann man nichts machen.«
Alle Augen richten sich auf Orakelchen. Dieser hebt abwehrend die Hände und sagt: »Ich bin ein Gelehrter und nicht lebensmüde. Mein Großvater hat einmal den Tempel betreten. Der Donnergott hat ihn so furchtbar erschreckt, dass mein Großvater nie wieder auch nur in die Nähe der Himmelskratzer ging.«

Die Drachen seufzen und schütteln ihre Köpfe.
»Und wenn ich dich begleite?«, fragt Kokosnuss. »Ich bin klein und kann Feuer speien!«
»Hihi!«, grinst Opa Jörgen. »Mein Enkelsohn ist ein richtiger Abenteurer!«
»Ich würde auch mitkommen«, sagt Matilda.

»Den Donnergott wollte ich schon immer einmal kennenlernen.«
»Ich sowieso!«, sagt Oskar.
Orakelchen überlegt.
»Hm, also, wenn ihr mitkämt ... Aber wenn es gefährlich wird, drehen wir um!«
Die Drachen plappern wild durcheinander.
»Ruhe im Karton!«, ruft Kornelius. »Der Drachenrat soll entscheiden.«
So marschieren alle zurück zur Schule. Diesmal dürfen auch Kokosnuss, Matilda, Oskar und Orakelchen mit am Tisch sitzen. Kornelius erhebt die Stimme: »Wer ist dafür, dass Orakelchen sich den Kalender der Maya näher anschaut?«
Alle Mitglieder des Drachenrates heben den Arm.
»Wer ist dagegen?«
Keiner hebt den Arm. Was ja logisch ist.
»Nun«, sagt Kornelius, »dann ist die Sache klar. Orakelchen fliegt zum Verbotenen Tempel. Kokosnuss begleitet ihn. Knödel, du nimmst Matilda und Oskar Huckepack! Ihr dürft keine Zeit verlieren!«

»Äh, oh, ach so«, brummt Trödel-Knödel. »Jetzt soll ich doch fliegen, o-oder wie? Aber ich wollte noch meine Höhle aufräumen, bevor die Welt untergeht.«
»Das kannst du später immer noch«, sagt Proselinde und wirft Knödel einen strengen Blick zu.

In den Himmelskratzern

»Ist es noch weit?«, fragt Knödel.
»Knödel!«, sagt Matilda. »Wir sind doch gerade erst losgeflogen!«
Der Rüsseldrache schlägt mit den Flügeln, um wieder an Höhe zu gewinnen. Matilda und Oskar sitzen auf seinem Rücken und schauen hinab: Unter ihnen glitzert das Wasser des Großen Sees in der Mittagssonne.
»Dort ist das Biberdorf!«, ruft Kokosnuss.
Der kleine Feuerdrache fliegt mit Orakelchen voran. Das Biberdorf liegt friedlich am See.
Wie schön die Dracheninsel ist, denkt Kokosnuss.
Er kann sich gar nicht vorstellen, dass am Freitag alles untergehen soll. Das kann doch nicht sein!
»Sind wir bald da?«, fragt Knödel und keucht.
»Dort«, sagt Kokosnuss und zeigt voraus, »siehst du die Bunten Buckel.«[1]

[1] Bunte Buckel werden die Hügel unterhalb der Himmelskratzer genannt. Die Bunten Buckel heißen so, weil auf ihnen die buntesten Blumen blühen.

»Schon, pfff«, brummt Knödel muffelig. »Mir tun schon die Flügel weh, sag ich euch. Da ist so ein Weltuntergang gar nichts dagegen!«
Bald überqueren sie die Bunten Buckel. Unter ihnen streicht der Wind über leuchtende Blumenwiesen. Nur kurze Zeit später fliegen sie in die Welt der Himmelskratzer hinein. Vor ihnen türmen sich mächtige Bergriesen. Weit unten

liegen schattige Täler. Als die Sonne untergegangen ist, gibt Orakelchen das Zeichen zur Landung. »Am besten, wir gehen das letzte Stück zu Fuß, damit der Donnergott uns nicht schon von Weitem sieht.«
In der Dunkelheit marschieren die vier Drachen und das Stachelschwein auf einem breiten Weg, bis sie einen kleinen Urwald erblicken. Dahinter erhebt sich der Tempel. Er erinnert an eine Pyra-

mide, doch in der Mitte führt eine breite Treppe empor bis zu einer großen steinernen Maske, deren Mund den Eingang zum Inneren bildet.
»Au Backe!«, flüstert Matilda.
Sie wandern über einige Hügel und durchqueren den kleinen Urwald. Dann stehen die Freunde vor der Treppe des mächtigen Tempelbaus. Die riesige steinerne Maske

starrt bedrohlich vom Dach des
Tempels herab.
»Nicht gerade einladend«, murmelt
Oskar.
»Warum müssen wir überhaupt zu
diesem Donnergott?«, fragt Knödel.
»Wo doch am Freitag eh die Welt
untergeht.«

»Ob die Welt wirklich untergeht«, sagt Kokosnuss, »wollen wir ja gerade herausfinden.«
Knödel blickt zum Tempel hinauf und schluckt.
»Äh, gut«, sagt der Rüsseldrache. »Dann warte ich mal hier unten. Wenn was ist, könnt ihr ja rufen.«
»Kommt gar nicht in die Tüte!«, sagt Matilda.
»Einer muss oben an der Tür Wache halten!«
»Am besten ein so großer und starker Drache wie du«, sagt Oskar.
»Öh, ehm, ja, wenn ihr meint«, brummt Knödel geschmeichelt. »Dann komme ich mit.«
Gemeinsam erklimmen sie die Treppe. Der Aufstieg ist lang und steil, und als sie oben ankommen, pfeift ihnen der Wind um die Ohren.
Trödel-Knödel blickt vorsichtig zur Lichtung hinab.
»Ganz schön hoch!«, flüstert der Rüsseldrache.
»Da wird einem ja schwummrig im Keks.«
Orakelchen schaut besorgt in den finsteren Eingang und sagt: »W-wahrscheinlich ist der Donnergott schlimm gefährlich.«

»Sch-schlimm g-gefährlich?«, stottert Knödel.
»Wenn der Donnergott herausschauen sollte«, sagt Kokosnuss, »dann machst du am besten ein grimmiges Gesicht.«
»G-grimmiges Gesicht«, wiederholt Knödel. »G-geht klar.«
Und während Kokosnuss ein paar Fackeln entzündet, drückt sich der große Rüsseldrache ängstlich an die Tempelmauer.

Der geheimnisvolle Tempel

Mit zögerlichen Schritten betreten Kokosnuss, Orakelchen, Matilda und Oskar das Innere des Tempels. Durch einen dunklen Gang gelangen sie in eine riesige Halle. Staunend bleiben die vier stehen. Die Halle ist so hoch, dass das Licht der Fackeln nicht bis zur Decke reicht. Plötzlich zuckt Matilda zusammen.
»Ein Schatten!«, flüstert das Stachelschwein.
»Ein Schatten?«, fragt Kokosnuss. »Was für ein Schatten?«
»Er huschte!«, flüstert Matilda.
»Der Schatten huschte?«, fragt Oskar. »Wohin denn?«
Matilda zeigt nach oben.
Orakelchen schluckt. »Ich glaube, ich gehe wieder nach draußen. Das ist mir zu gruselig.«
»Wie sah der Schatten denn aus?«, fragt Kokosnuss.
»Klein«, antwortet Matilda. »Mit einer Zipfelmütze.«

»Zipfelmütze?«, wiederholt Oskar. »Kann ich mir gar nicht vorstellen, dass so ein Donnergott eine Zipfelmütze trägt.«

In diesem Augenblick ertönt ein fürchterliches Donnergrollen. Erschrocken springen die vier hinter eine Säule.

»Woher kam das?«, flüstert Matilda.

»Von ganz da oben«, sagt Kokosnuss leise und zeigt hinauf zum anderen Ende der Halle.

»Was ist denn dort?«, fragt Matilda. »Man sieht ja nichts!«

Da wirft Oskar seine brennende Fackel in hohem Bogen durch die Halle. Im selben Augenblick donnert es wieder. Ängstlich drücken sich die Freunde an die Säule. Als der Donner verklungen ist, lugt Kokosnuss hervor. Oskars Fackel ist auf einer Treppe gelandet, die zu einem Thron hinaufführt. Im schwachen Schein der Fackel sieht der kleine Drache eine Gestalt auf dem Thron sitzen.

»Da sitzt einer«, flüstert Kokosnuss.
»W-was macht der?«, fragt Matilda.
»Nichts«, flüstert Kokosnuss.
Plötzlich leuchten die Augen der Gestalt feurig auf.
»K-kommt«, haucht Orakelchen zitternd. »W-wir k-kehren besser um!«
»Warte!«, flüstert Kokosnuss. »Vielleicht will der Donnergott uns ja nur begrüßen.«
Oskar brummt: »Dann könnte er doch auch einfach ›Hallo Leute‹ sagen oder ›Guten Tag‹.«

»Den frage ich jetzt«, sagt Kokosnuss entschlossen, tritt vor und ruft: »Guten Tag, Herr Donnergott! Ich bin der Drache Kokosnuss und ...«
Ein ohrenbetäubender Donnerschlag ertönt und eine tiefe, Furcht einflößende Stimme dröhnt von oben herab: »Verschwindet!«
Kokosnuss erschrickt, springt hinter die Säule, kommt aber sogleich wieder hervor und ruft: »Ich kann Feuer speien!«
Er speit einen kräftigen Feuerstrahl in die dunkle Halle hinein. Doch kaum hat sich das Drachenfeuer in Luft aufgelöst, da schießt ein noch viel größerer Feuerstrahl aus dem Schlund der Gestalt auf dem Thron. Der Donnergott kann auch Feuer speien!

Kokosnuss ist beeindruckt. Orakelchen ist vor Schreck in Oskars Arme gesprungen. Matilda hat sich am Boden zusammengerollt und kneift die Augen zusammen. (Am liebsten wäre sie auch in Oskars Arme gesprungen, aber das geht nicht wegen der Stacheln.)
»Guter Feuerstrahl!«, ruft Kokosnuss. »Aber was machst du, wenn am Freitag die Welt untergeht?«
Für einen Moment herrscht in der finsteren, steinernen Halle eine gespenstische Stille.
Dann meldet sich die Stimme: »Die Welt geht unter?«
»Am Freitag«, sagt Kokosnuss.
»Wie kommst du denn darauf?«, fragt die Stimme.
»Das steht auf einem alten Papyrus.«
»Alter Papyrus?«
»Orakelchen sagt, es könnte stimmen, was da draufsteht.«
»Orakelchen? Wer soll das sein?«, brummt die Stimme.
Orakelchen liegt immer noch in Oskars Armen und zittert am ganzen Leib.

Kokosnuss flüstert: »Orakelchen! Komm doch einmal hinter der Säule hervor, damit der Donnergott dich kennenlernen kann!«
»Ich will den aber nicht kennenlernen!«, sagt Orakelchen.
»Nun komm schon!«
»Nein!«
Darauf wirft Oskar Orakelchen mit Schwung in die Luft. Orakelchen flattert, purzelt vor Kokosnuss' Füße und schimpft: »So was! Wirft der mich einfach hoch!«
Flatternd versteckt er sich hinter Kokosnuss. »Du bist also Orakelchen?«, fragt die Stimme. 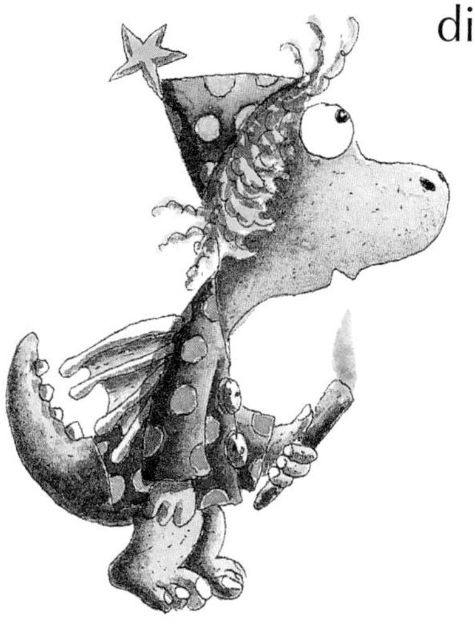
Vorsichtig guckt Orakelchen hervor und antwortet: »J-ja, der bin ich.«
»Und du behauptest«, donnert die Stimme, »dass am Freitag die Welt untergeht?!«

Orakelchen tritt zögernd neben Kokosnuss und sagt: »Ja, äh, b-besser gesagt, ich weiß es nicht genau. Ich w-würde es gerne nachprüfen, wenn's geht. In diesem Tempel soll es einen alten Maya-Kalender geben.«
»Ihr wollt den Kalender sehen?«
»Das wäre prima!«, ruft Kokosnuss.
Hinter dem Thron hören die Freunde kurze, schnelle Schritte. Langsam kommen Matilda und Oskar hervor.
»Herr Donnergott?«, ruft Kokosnuss zum Thron hinauf.
Der Donnergott sagt keinen Ton. Nur seine Augen flackern in der Finsternis. Da öffnet sich neben dem Thron eine Tür. Im Lichtkegel erscheint eine kleine Gestalt mit einer Zipfelmütze auf dem Kopf.
»Hab ich doch richtig gesehen«, flüstert Matilda.
»Das ist ein Bergzwerg«, raunt Orakelchen überrascht.

Bart der Bergzwerg

Von Bergzwergen hat Kokosnuss schon einmal gehört. Sie leben in den Himmelskratzern und sind sehr scheu. Daher bekommt man sie nur selten zu Gesicht.
Dieser hier, denkt Kokosnuss, sieht genauso aus, wie man sich einen Zwerg vorstellt: klein, mit einem langen Bart und einer Zipfelmütze. Bestimmt ist er uralt.
Der Zwerg schwingt einen langen Stab und ruft: »Kommt herauf!«
»Aber«, sagt Kokosnuss, »sollten wir vorher nicht den Donnergott fragen? Vielleicht möchte er nicht, dass wir hinaufkommen.«
Der Zwerg grinst und sagt: »Der hat nichts dagegen!«
Die Freunde steigen langsam die Treppe hinauf. Immer wieder schauen sie auf den Donnergott, doch dieser bewegt sich nicht. Seine Augen flackern noch immer, aber als die Freunde

oben ankommen, wendet er nicht einmal seinen Kopf.
»Habt keine Angst!«, sagt der Zwerg, klopft mit dem Stab an den Donnergott und kichert: »Hihihi, der ist aus Stein, hihihi.«
»Aus Stein?«, wiederholt Kokosnuss verblüfft.
»A-aber«, stottert Orakelchen, »d-der hat doch Feuer gespien!«
»Das war ich, hihihi«, sagt der Zwerg. »Mit der Feuerspuckmaschine, um ungebetene Gäste zu verscheuchen.«
Jetzt erkennen die vier, dass der Donnergott tatsächlich aus Stein gemeißelt ist. In seinem

hohlen Kopf steht eine Schale, in der ein Feuer flackert. Dahinter ist eine Riesenspritze aufgebaut. Der Zwerg schiebt den Kolben der Spritze nach vorn. Die Flüssigkeit, die herauszischt, entzündet sich an den Flammen und schießt als Feuerstrahl aus dem Mund des Donnergottes.
»Ui!«, rufen die Freunde.
»Spiritus«, sagt der Zwerg stolz. »Die Konstruktion ist meine Erfindung!«
»Und der Donner?«, fragt Matilda.
»Und die tiefe Stimme?«, fragt Orakelchen.

»Hihihi«, kichert der Zwerg, holt ein dünnes Blech hervor und wedelt damit vor einem großen, trichterförmigen Sprachrohr. Ein ohrenbetäubender Donner erfüllt die Halle. Dann ruft der Zwerg in das Sprachrohr hinein: »Ich bin der fürchterliche Donnergott!«

Die Freunde weichen erschrocken zurück.

Der Zwerg lässt das Sprachrohr sinken und sagt: »Klingt schön gruselig, oder? Hab ich auch erfunden!«

»U-und warum?«, fragt Kokosnuss.

»Dieser Tempel«, erklärt der Zwerg, »gehörte dem König der Maya. Vor vielen Hundert Jahren hat der König mich persönlich beauftragt, den Tempel zu beschützen. Der steinerne Donnergott soll mir dabei helfen. Und wie ihr seht, funktioniert es!«

»Die Maya-Könige«, sagt Matilda, »gibt es doch nicht mehr.«

»Weiß ich«, brummt der Zwerg. »Aber irgendwer muss die Butze sauber halten. Vielleicht taucht irgendwann noch einmal ein Maya auf, und dann soll alles picobello sein. Ich bin übrigens Bart, der Bergzwerg. Und wer seid ihr?«
»Ich bin Kokosnuss«, sagt Kokosnuss. »Und das sind Matilda, Oskar und Orakelchen. Wir kommen vom Rat der Drachen und suchen den Kalender der Maya, weil wir etwas nachschauen wollen.«
»Nun, dann folgt mir!«, sagt der Zwerg.
Er führt die Freunde in einen Raum, in dessen Boden eine große, runde, steinerne Platte eingelassen ist. In die Platte sind unzählige Bilder eingemeißelt.
Als Orakelchen seine Fackel darüber hält, leuchten seine Augen und er flüstert: »Der Kalender der Maya!«
Er setzt seine Brille auf, holt einen Papierblock und einen Bleistift aus seinem Mantel und beugt sich über die steinernen Bilder. Kokosnuss und Matilda blicken ihm neugierig über die Schulter.

»Das soll ein Kalender sein?«, fragt Matilda. »Ich sehe gar keine Zahlen.«
»Die Maya«, erklärt Orakelchen, »hatten ihre eigene Bildsprache. Sie kannten sich mit den Sternen aus wie niemand sonst. Und alle bedeutenden Ereignisse im Universum, ob in der Vergangenheit oder in der Zukunft, haben sie in ihren Kalender eingetragen. Man muss die Eintragungen nur lesen können.«
Kokosnuss betrachtet Orakelchen. Er ist zwar etwas ängstlich, aber er ist ein sehr guter Forscher.

»Also«, sagt Oskar, »ich esse erst mal etwas.«
Der Fressdrachenjunge sucht sich eine gemütliche Ecke und holt seine Käsestullen aus der Tasche.
»Dass du jetzt essen kannst«, sagt Matilda, »wo doch Orakelchen gerade herausfindet, ob am Freitag die Welt untergeht.«
»Na und?«, sagt Oskar. »Essen muss ich doch trotzdem.«
»Der kleine Fressdrache ist mir sehr sympathisch!«, sagt Bart der Zwerg und packt eine Zwergenstulle aus.
So mümmeln Oskar und Bart genüsslich ihre belegten Brote, während Orakelchen den steinernen Kalender studiert. Der kleine Gelehrte rennt eine ganze Weile über die Bilder, zeichnet Kreise, Punkte und Linien in seinen Block, setzt

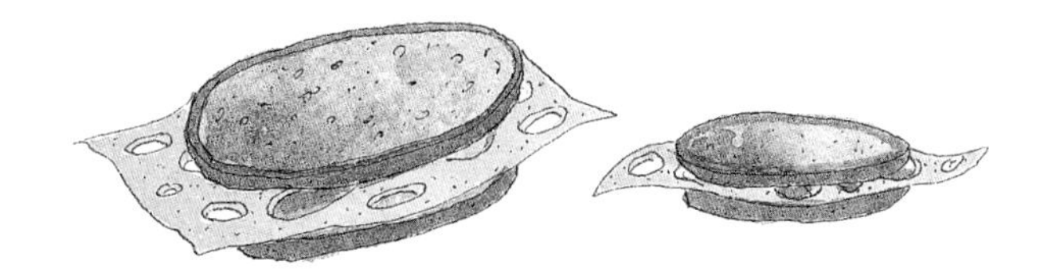

Notizen daneben, zieht am Ende energisch einen dicken Strich und ruft: »So!«

»Was heißt das? Geht die Welt unter?«, fragen Kokosnuss und Matilda aufgeregt.

»Bestimmt wird die Welt einmal untergehen«, antwortet Orakelchen. »Aber ganz sicher nicht am nächsten Freitag.«

Kokosnuss und Matilda fällt ein Stein vom Herzen.

»Das habe ich mir doch gleich gedacht!«, sagt das Stachelschwein.

»Prima!«, ruft Oskar. »Da schmeckt mir die Stulle noch mal so gut!«

»Aber etwas anderes wird geschehen«, sagt Orakelchen. »Am Freitag gibt es eine Sonnenfinsternis. Genauer gesagt, eine totale Sonnenfinsternis. Das passiert nur sehr, sehr selten. Wenn überhaupt.«

»Wow!«, murmelt Kokosnuss.

»Hammerputz und Quetschkommode!«, ruft Oskar. »Und was ist eigentlich eine Sonnenfinsternis?«

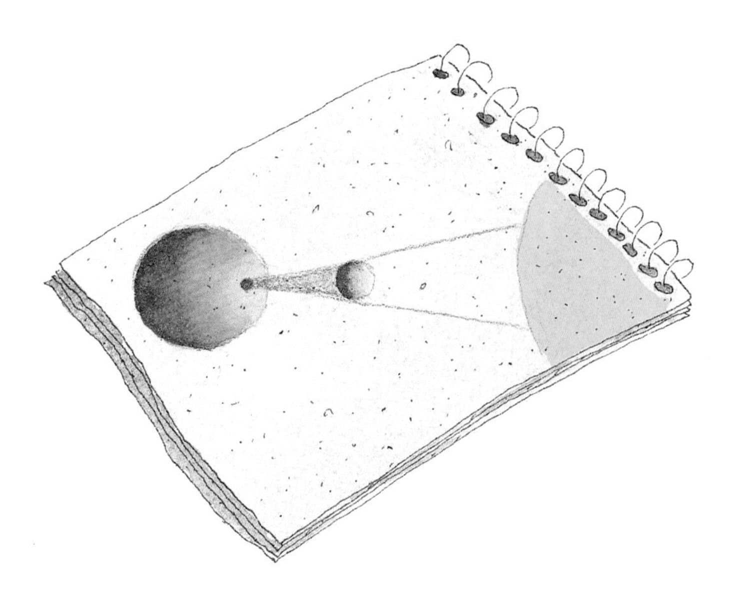

Orakelchen zeichnet auf, wie es zu einer Sonnenfinsternis kommt.

»Der Mond dreht sich um die Erde. Wenn der Mond genau zwischen der Erde und der Sonne steht, dann gibt es einen Ort auf der Erde, wo für kurze Zeit die Sonne nicht zu sehen ist, mitten am Tage, weil der Mond sie verdeckt.«

»Und am Freitag«, sagt Matilda, »ist dieser Ort die Dracheninsel!«

»Das muss sofort der Drachenrat wissen!«, ruft Kokosnuss.

»Und ich werde meinem Volk berichten!«, sagt Bart.

Der Zwerg springt die Treppe hinab und rennt so schnell zum Ausgang des Tempels, dass die Freunde Mühe haben, ihm zu folgen.
»Warte!«, ruft Kokosnuss. »Da steht jemand draussen vor der Tür! Nicht, dass du dich erschrickst!«
Doch Bart hat den Ausgang bereits erreicht. Kokosnuss will gerade zum Flug ansetzen, da hört er erst einen kurzen Zwergenschrei und dann einen langen Drachenschrei.

»Das war Knödel!«, ruft Matilda.
»Hoffentlich hat er Bart nicht aus Versehen aufgefressen«, sagt Oskar.
Doch als sie draußen ankommen, steht Bart quicklebendig neben dem Eingang und blickt zum Ende der Treppe hinab. Unten auf der Lichtung liegt Trödel-Knödel.
»Gehört der zu euch?«, fragt Bart.
»Er hat uns hergebracht«, sagt Matilda.
»Und eigentlich«, sagt Oskar, »soll er uns beschützen.«
»Knödel!«, ruft Matilda. »Hast du dich verletzt?«
Mühsam öffnet Knödel die Augen und brummt:
»Alles in Butter.«

»Das ist ja ein lustiger Geselle«, kichert Bart.
Der Zwerg holt einen Schlüssel hervor und schließt die Tempeltür zu.
»Feierabend. Hat mich gefreut, eure Bekanntschaft zu machen. Jetzt muss ich meinen Leuten von der Sonnenfinsternis berichten!«
Mit diesen Worten klettert der Zwerg an der steinernen Maske hinauf und ist im Nu hinter dem Tempel verschwunden.
Die anderen aber eilen hinunter zu Knödel. Der große Rüsseldrache ist inzwischen aufgestanden, klopft sich den Staub vom Körper, spannt seine Flügel und sagt: »Manno, ich hab die ganze Zeit auf den Donnergott gewartet. Und dann kommt so ein Zwerg aus dem Tempel! War das ein Schreck! Und dann hab ich das Gleichgewicht verloren und – holterdipolter purzeldiplumps – liege ich schon unten.«
»Dafür haben wir eine gute Nachricht!«, sagt Kokosnuss.
»Ich wusste es!«, ruft Knödel. »Ich hatte recht. Die Welt geht unter!«

»Knödel!«, ruft Matilda streng. »Die gute Nachricht ist, dass die Welt nicht untergeht!«
»Nicht?«, wiederholt Knödel enttäuscht. »Aber es steht doch auf dem alten Papyrus!«
»Auch die Wissenschaftler der Antike können sich irren«, sagt Orakelchen.
Knödel lässt die Schultern hängen und brummt: »Ich hatte mich so auf den Weltuntergang eingestellt. Und jetzt kommt der gar nicht.«
»Dafür«, sagt Kokosnuss, »kommt etwas anderes.«
Die Freunde erzählen dem Rüsseldrachen, was sich im Inneren des Tempels zugetragen und was Orakelchen mithilfe des Maya-Kalenders herausgefunden hat.
»Eine Sonnenfinsternis?«, sagt Knödel staunend. »Ganz sicher?«
»Ganz sicher«, sagt Orakelchen.

Zurück in der Drachenbucht

Als die Gruppe die Drachenbucht erreicht, ist die Sonne bereits untergegangen. Kokosnuss traut seinen Augen nicht: Die Mitglieder des Drachenrates warten noch immer vor der Schulhöhle. Kornelius schwenkt eine Laterne, und noch jemanden erkennt der kleine Feuerdrache: seine Eltern Mette und Magnus!

Was machen die beiden denn dort vor der Schulhöhle? Bestimmt suchen sie mich, denkt Kokosnuss.

Und da fällt es ihm ein: Er sollte doch beim Bohnenpflücken helfen ... Auweia, das gibt Ärger!

Kaum sind die Abenteurer gelandet, stürmen die Mitglieder des Drachenrates auf sie zu.

»Und?!«, rufen sie wie aus einem Mund.

Doch bevor Orakelchen antworten kann, tritt Trödel-Knödel vor und sagt: »Nun ja, also, erst mal, es war ein ziemlich aufregendes Abenteuer. Ich habe überall blaue Flecken!«

Mit einem strengen Blick in die Runde erhebt Mette die Stimme: »Darf ich fragen, worum es geht und warum mein Sohn heute zu spät zum Essen kommt, und vor allem, warum er nicht beim Bohnenpflücken geholfen hat?«
Alle blicken betreten zu Boden. Niemand wagt ein Wort zu sagen. Kokosnuss schluckt. Seine Eltern wissen nichts von dem Papyrus und der Reise zum Verbotenen Tempel. Der Drachenrat hat sie nicht eingeweiht.
Der kleine Drache räuspert sich und sagt: »Also, ehm, das mit den Bohnen, äh, tut mir leid, aber da ist etwas Wichtiges dazwischengekommen ...«
»Bohnen«, sagt Magnus ärgerlich, »sind wichtiger als alles andere, merk dir das!«
Magnus ist eigentlich ein ziemlich gutmütiger Papa, doch dass er heute alle Bohnen allein pflücken musste, wurmt ihn sehr.
»Aber Papa!«, sagt Kokosnuss. »Die Welt sollte doch untergehen!«
»Was ist das wieder für eine Geschichte?«, fragt Mette.

»Wegen der Bohnen?«, fragt Magnus ungläubig.
»Jetzt aber raus mit der Sprache!«, sagt Kornelius.
»Geht die Welt am Freitag unter oder nicht?«
Da berichtet Orakelchen endlich von Bart, dem Bergzwerg, vom steinernen Donnergott, dem Kalender der Maya und davon, dass die Welt am Freitag ganz sicher nicht untergehen und dass es stattdessen eine totale Sonnenfinsternis geben wird.
Zunächst ist es so still, dass man einen Mäusepups hören könnte, doch dann geht ein Seufzer der Erleichterung durch die Runde. Opa Jörgen hebt sogar die Arme und ruft: »Jippi!«

Mette und Magnus verstehen nur Bahnhof: Donnergott? Weltuntergang? Sonnenfinsternis? Auf dem Nachhauseweg muss Kokosnuss seinen Eltern alles ganz genau erzählen, und als Magnus seinen Sohn tief in der Nacht zu Bett bringt, sagt der große Drache: »Weißt du, Kokosnuss, das mit den Bohnen ... also, so wichtig sind die Bohnen nun auch wieder nicht.«

Am Freitag darauf läutet Kornelius Kaktus die große Versammlungsglocke. Nach und nach füllt sich der Tummelplatz mit Drachen aller Art, kleinen, großen, dicken, dünnen, alten, jungen, langen, kurzen, süßen und sauren Drachen. Auch Stachelschweine kommen zum Tummelplatz, Kaninchen und Maulwürfe, sogar einige Affen sind dabei. 
Mittendrin stehen Mette und Magnus. Kokosnuss darf auf Magnus' Kopf stehen. Von hier aus hat er den besten Überblick. Weiter hinten trifft gerade

Oskar mit seinen Eltern ein. Auf dem Rücken eines großen Drachen sieht Kokosnuss Matilda und ihre Eltern sitzen. Die Freunde winken einander zu und blicken dann gespannt zum Felsen hinüber, auf dem nun neben Kornelius Kaktus Orakelchen erscheint. Auch Trödel-Knödel betritt den Felsen. Er macht ein sehr ernstes Gesicht. Für alle Fälle hat er seine Höhle aufgeräumt. Wer weiß, ob heute nicht doch die Welt untergeht!
Kornelius erhebt die Stimme: »Liebe Inselbewohner! Unser geschätzter Gelehrter Orakelchen hat allen Bewohnern der Dracheninsel eine wichtige Mitteilung zu machen!«
Auf dem Tummelplatz wird es mäusepüpschenstill. Kokosnuss sieht, dass Orakelchen aufgeregt ist. Kein Wunder, denn der kleine Gelehrte hat noch nie vor einem so großen Publikum gesprochen.
Zaghaft beginnt er: »Liebe Insulanerinnen und Insulaner!«
Ein Drache ruft: »Lauter!«

Etwas lauter sagt Orakelchen: »Liebe Insulanerinnen und Insulaner, heute wird am Himmel etwas Außergewöhnliches passieren. Für kurze Zeit wird sich der Mond vor die Sonne schieben, bis diese nur noch als schwarze Scheibe zu sehen ist. Dabei wird es ziemlich dunkel und die Bäume und Sträucher werfen sichelförmige Schatten auf den Boden. Man nennt so etwas eine totale Sonnenfinsternis.«
Die Zuhörer auf dem Tummelplatz starren Orakelchen mit großen Augen an. Es soll dunkel werden, mitten am Tage? Manche tippen sich an die Stirn, andere schütteln ungläubig die Köpfe. Ein Drache ruft: »Bei dir ist wohl eine Schraube locker!«
In der Menge breitet sich Unruhe aus. Einige blicken empört zu Orakelchen, andere schauen verstohlen zum Himmel empor. Als Kornelius energisch die Glocke läutet, wird es wieder still. 
In diesem Moment tritt Trödel-Knödel vor und

sagt: »Es könnte aber auch sein, dass heute die Welt untergeht.«
Da plappern alle wild durcheinander. Zuerst eine Sonnenfinsternis, und jetzt auch noch ein Weltuntergang? Die meisten Drachen schütteln die Köpfe, doch einige blicken ängstlich in den Himmel.
Plötzlich verändert sich das Licht.
»Seht mal, die Sonne!«, ruft ein Langhalsdrache.
An einer Seite der Sonne erscheint ein schwarzer, halbrunder Streifen. Der Streifen wird größer.
Bald hat er die Sonne zur Hälfte bedeckt und auf der Dracheninsel breitet sich Dämmerung aus.
Kokosnuss ruft: »Der Mond schiebt sich vor die Sonne!«
Tatsächlich: Der Mond sieht aus wie eine schwarze Scheibe, die nun nach und nach die Sonne verdeckt, bis diese nicht mehr zu sehen ist. Die Farben verblassen, es wird dunkel, genau so, wie Orakelchen es beschrieben hat.
Eine gespenstische Stille herrscht auf dem Tummelplatz. Niemand wagt es, einen Ton von sich

zu geben. Nicht einmal die Vögel zwitschern. Trödel-Knödel starrt voller Angst zur verdunkelten Sonne. Auch Kornelius Kaktus blickt besorgt zu der schwarzen Scheibe. Orakelchen aber schaut zu Kokosnuss hinüber und lächelt.
Und plötzlich wird es wieder heller. Der Mond gibt die Sonne langsam frei. Bald leuchten die Farben wieder. Und hier und da beginnt ein Vogel zu zwitschern. Schon ist nur noch ein schmaler schwarzer Streifen auf der Sonne zu sehen, diesmal auf der anderen Seite. Und bald strahlt die Sonne wie zuvor. Auf der Dracheninsel singen die Vögel um die Wette, und die Farben leuchten, als wäre nichts gewesen.
Die Menge atmet auf, ganz besonders Trödel-Knödel! Die Welt geht doch nicht unter!
Erleichtert packt er Orakelchen und wirft ihn in die Höhe.
Ein Drache ruft: »Hoch, Orakelchen lebe hoch!«
Da wirft Knödel den kleinen Gelehrten noch dreimal in die Höhe und alle rufen: »Orakelchen lebe hoch!«

Der kleine Gelehrte freut sich, doch noch mehr freut er sich, als er wieder zu Hause ist, allein mit seinen Büchern und dem Sternenhimmel, den er erforschen kann.

Am Abend sind Matilda und Oskar bei Kokosnuss zum Essen eingeladen. Es gibt Bohneneintopf. Alle haben einen Drachenhunger, besonders Oskar. Der kleine Fressdrache verschlingt mühelos drei Portionen.

»Wie viel du immer essen kannst!«, staunt Matilda.
»Es könnte ja sein«, sagt Oskar, »dass morgen die Welt untergeht. Da esse ich doch vorher lieber noch einen Happs.«
»Scherzkeks!«, sagt Matilda. »Aber stellt euch mal vor, wir hätten einfach geglaubt, was auf dem Papyrus steht.«
»Dann hätte uns die Sonnenfinsternis einen Riesenschrecken eingejagt«, sagt Mette.
»Und es gäbe keinen Eintopf«, sagt Magnus.
»Wieso das denn nicht?«, fragt Kokosnuss.
»Ich stelle mich doch nicht in die Küche, wenn ich weiß, dass die Welt untergeht«, brummt Magnus.
»Also«, murmelt Kokosnuss, »selbst, wenn morgen die Welt untergeht, so würde ich doch heute noch einen Bohneneintopf kochen.«
»Ganz deiner Meinung!«, sagt Oskar. »Schließlich muss der Drache essen!«

»Du ganz besonders!«, sagt Matilda und lacht. Doch zum Glück ist die Welt heil geblieben, und als die drei Freunde spät in der Nacht gemütlich in Kokosnuss' Bett liegen, funkeln und glitzern die Sterne durch das Höhlenfenster, als sei nichts gewesen. Ganz bestimmt wird morgen wieder die Sonne aufgehen, wie jeden Morgen.

Foto: privat

Ingo Siegner, 1965 geboren, wuchs in Großburgwedel auf. Schon als Kind erfand er gerne Geschichten. Später brachte er sich das Zeichnen bei. Mit seinen Büchern vom kleinen Drachen Kokosnuss, die in viele Sprachen übersetzt sind, eroberte er auf Anhieb die Herzen der jungen LeserInnen. Ingo Siegner lebt als Autor und Illustrator in Hannover.

Alle Kokosnuss-Abenteuer auf einen Blick:

- Der kleine Drache Kokosnuss (978-3-570-12683-7)
- Der kleine Drache Kokosnuss feiert Weihnachten (978-3-570-12765-0)
- Der kleine Drache Kokosnuss kommt in die Schule (978-3-570-12716-2)
- Der kleine Drache Kokosnuss – Hab keine Angst! (978-3-570-12806-0)
- Der kleine Drache Kokosnuss und der große Zauberer (978-3-570-12807-7)
- Der kleine Drache Kokosnuss und der schwarze Ritter (978-3-570-12808-4)
- Der kleine Drache Kokosnuss und seine Abenteuer (978-3-570-13075-9) *gekürzte Fassung des Bilderbuchs »Der kleine Drache Kokosnuss« (978-3-570-12683-7)*
- Der kleine Drache Kokosnuss – Schulfest auf dem Feuerfelsen (978-3-570-12941-8)
- Der kleine Drache Kokosnuss besucht den Weihnachtsmann (978-3-570-13202-9) *gekürzte Fassung des Buchs »Der kleine Drache Kokosnuss feiert Weihnachten« (978-3-570-12765-0)*
- Der kleine Drache Kokosnuss und die Wetterhexe (978-3-570-12942-5)
- Der kleine Drache Kokosnuss reist um die Welt (978-3-570-13038-4)
- Der kleine Drache Kokosnuss und die wilden Piraten (978-3-570-13437-5)

- Der kleine Drache Kokosnuss im Spukschloss (978-3-570-13039-1)
- Der kleine Drache Kokosnuss und der Schatz im Dschungel (978-3-570-13645-4)
- Der kleine Drache Kokosnuss und das Vampir-Abenteuer (978-3-570-13702-4)
- Der kleine Drache Kokosnuss und das Geheimnis der Mumie (978-3-570-13703-1)
- Der kleine Drache Kokosnuss und die starken Wikinger (978-3-570-13704-8)
- Der kleine Drache Kokosnuss auf der Suche nach Atlantis (978-3-570-15280-5)
- Der kleine Drache Kokosnuss bei den Indianern (978-3-570-15281-2)
- Der kleine Drache Kokosnuss im Weltraum (978-3-570-15283-6)
- Der kleine Drache Kokosnuss reist in die Steinzeit (978-3-570-15282-9)
- Der kleine Drache Kokosnuss – Schulausflug ins Abenteuer (978-3-570-15637-7)
- Der kleine Drache Kokosnuss bei den Dinosauriern (978-3-570-15660-5)
- Der kleine Drache Kokosnuss und der geheimnisvolle Tempel (978-3-570-15829-6)
- Der kleine Drache Kokosnuss und die Reise zum Nordpol (978-3-570-15863-0)
- Der kleine Drache Kokosnuss – Expedition auf dem Nil (978-3-570-15978-1)